MONSIEUR MADAME

et la Galette des Rois

Collection

MONSIEUR MADAME PAILLETTES

Monsieur Glouton et le Bonhomme de pain d'épice
Les Monsieur Madame et le Grand Méchant Loup
Madame Timide et la Bonne Fée
Monsieur Peureux et les pirates
Madame Têtue et la licorne
Monsieur Bruit et le géant
Madame Chipie et la sirène
Monsieur Costaud et l'Ogre
Madame Beauté et la Princesse
Monsieur Chatouille et le dragon
Madame Bonheur et la sorcière
Monsieur Malchance et le Chevalier
Madame Canaille et la Bonne Fée
Monsieur Heureux et le magicien
Madame Chance et les lutins
Monsieur Rigolo et la lampe magique
Madame Bavarde et la grenouille

Traduction : Anne Marchand-Kalicky.

LES MONSIEUR MADAME

et la Galette des Rois

Roger Hargreaves

Écrit et illustré par Adam Hargreaves

hachette
JEUNESSE

Cette année, pour l'Épiphanie, c'était au tour de madame Beauté d'avoir l'honneur de recevoir ses amis pour la galette des rois.

Mais il y avait un petit problème : elle ne savait pas cuisiner !

Et surtout, madame Beauté était une personne bien trop importante pour se rabaisser à des choses aussi insignifiantes que la cuisine.

Madame Beauté demanda donc à madame Autoritaire
de préparer la galette. Et celle-ci ordonna aussitôt
à monsieur Farceur de faire la galette à sa place.

Mais elle était si autoritaire et si mal élevée que
monsieur Farceur décida de tout gâcher en glissant une fève
surprise : un piège à souris !

Heureusement pour le succès de la fête, monsieur Curieux découvrit le piège grâce à son flair habituel !

Schlak !

Madame Beauté demanda ensuite à monsieur Glouton de préparer une nouvelle galette.

Monsieur Glouton était un expert en cuisine et il prépara une galette géante. Elle était aussi grande qu'une table, plus grande encore !

Il prit le temps de l'admirer.

Sa galette était si appétissante que monsieur Glouton
en eut l'eau à la bouche et voulut savoir quel goût elle avait.

– Je vais en goûter juste un petit morceau, se dit-il.

Pour être sûr qu'elle est bonne…

Et tu devines ce qui arriva ensuite ?

Un petit morceau en appela un autre et avant que tu puisses dire « Miam ! », la galette fut engloutie tout entière !

Pauvre madame Beauté ! La fête approchait et elle n'avait
toujours pas de galette des rois.

Cette fois, elle fit appel à monsieur Parfait et lui demanda
de préparer une galette. Et tu sais quoi ? Il cuisina
une galette parfaite !

Madame Beauté aurait peut-être dû lui demander en premier…

Monsieur Parfait chargea ensuite monsieur Malchance
de la livraison.

Tu imagines évidemment la suite, n'est-ce pas ?

Par malheur, monsieur Malchance glissa et tomba la tête
la première dans la galette !

Madame Beauté était de plus en plus inquiète ! La fête avait lieu dans à peine quelques heures. Comment allait-elle pouvoir s'en sortir ?

Mais bien sûr ! La solution était simple : faire appel à monsieur Incroyable !

Et voilà comment une belle galette dorée fut posée sur la table
de madame Beauté, autour de laquelle tous ses amis prirent place.

Madame Petite, qui était la plus petite de tous les
Monsieur Madame, s'installa sous la table pour faire
la distribution des parts.

Madame Petite appela d'abord monsieur Sale.

Il mangea sa part de gâteau en mettant des miettes partout
mais il n'eut pas la fève.

Madame Petite appela ensuite madame Canaille qui prétendit avoir la fève mais c'était une farce.

Madame Petite appela monsieur Pressé qui avala sa part
en une seule bouchée.

Tout le monde espéra que la fève ne se trouvait pas dans sa part
car il leur serait alors impossible de vérifier s'il avait eu la fève
ou pas.

Alors, devines-tu qui trouva la fève dans sa part de galette ?
Eh bien oui, c'est ça, ce fut monsieur Parfait !

– Qui allez-vous prendre pour reine ? demanda madame Beauté en espérant bien sûr que ce serait elle.

– Ma reine sera… madame Princesse ! annonça-t-il.

– Mais c'est injuste… s'écria madame Beauté.

… madame Princesse a déjà une couronne !

RÉUNIS VITE LA COLLECTION ENTIÈRE

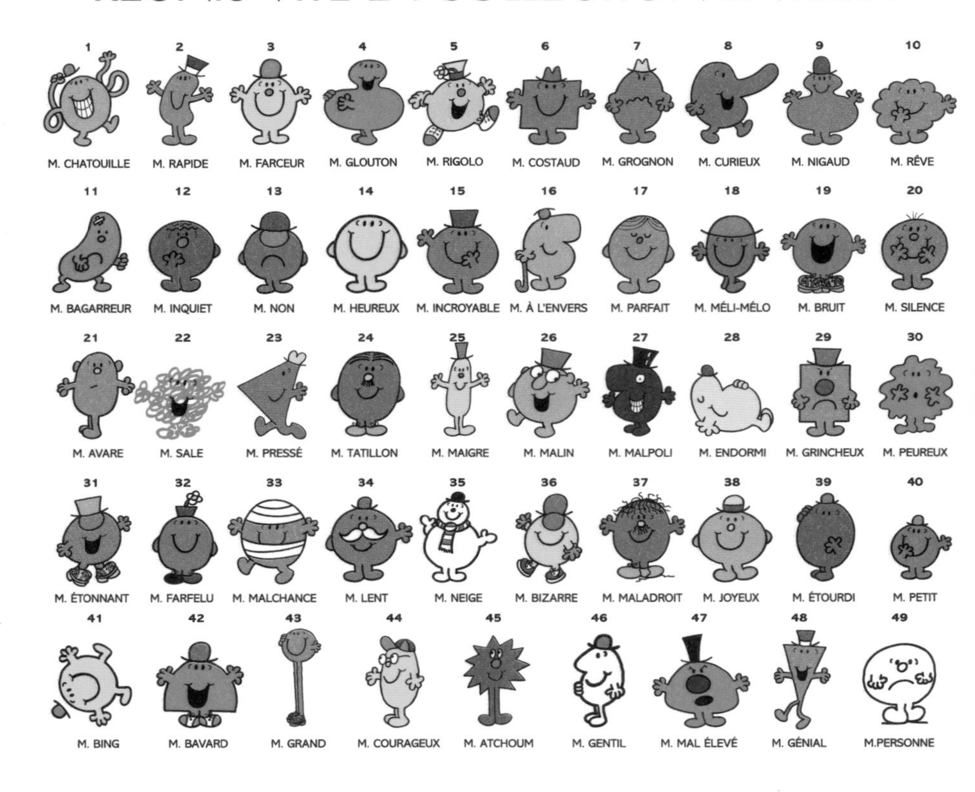

DES **MONSIEUR MADAME**

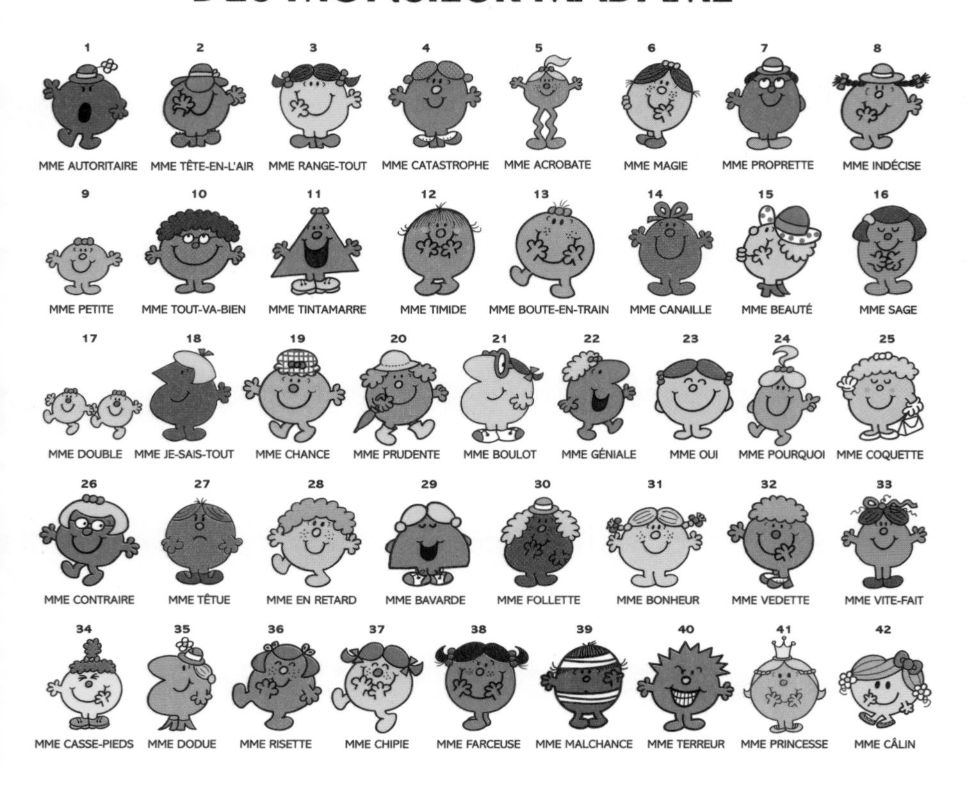

Édité par Hachette Livre – 43, quai de Grenelle, 75905 Paris Cedex 15
Dépôt légal : novembre 2014
Loi n°49-956 du 16 juillet 1949 sur les publications destinées à la jeunesse.
Achevé d'imprimer par IME (Baume-les-Dames), en France.